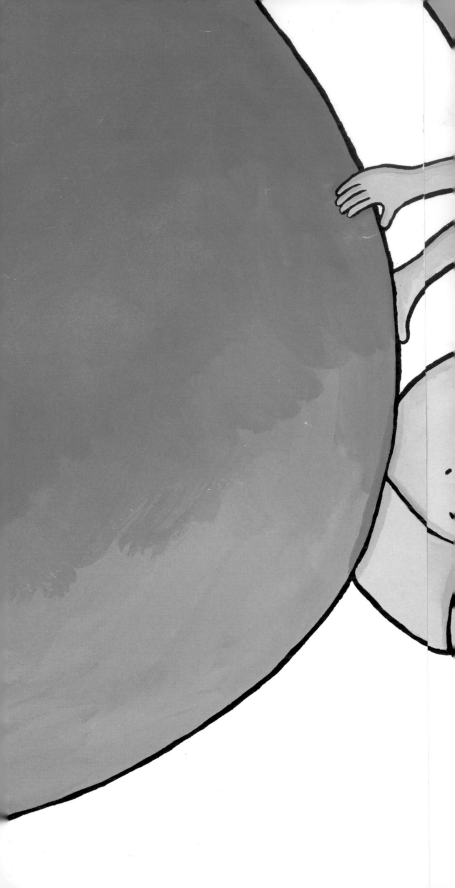

Camilla ora è felice.
—Dài, fratellino,
vieni fuori!

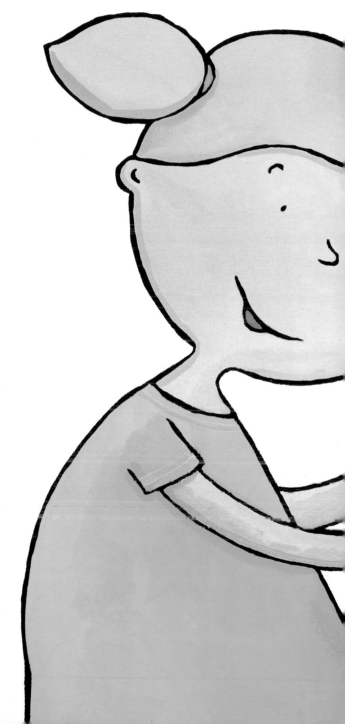

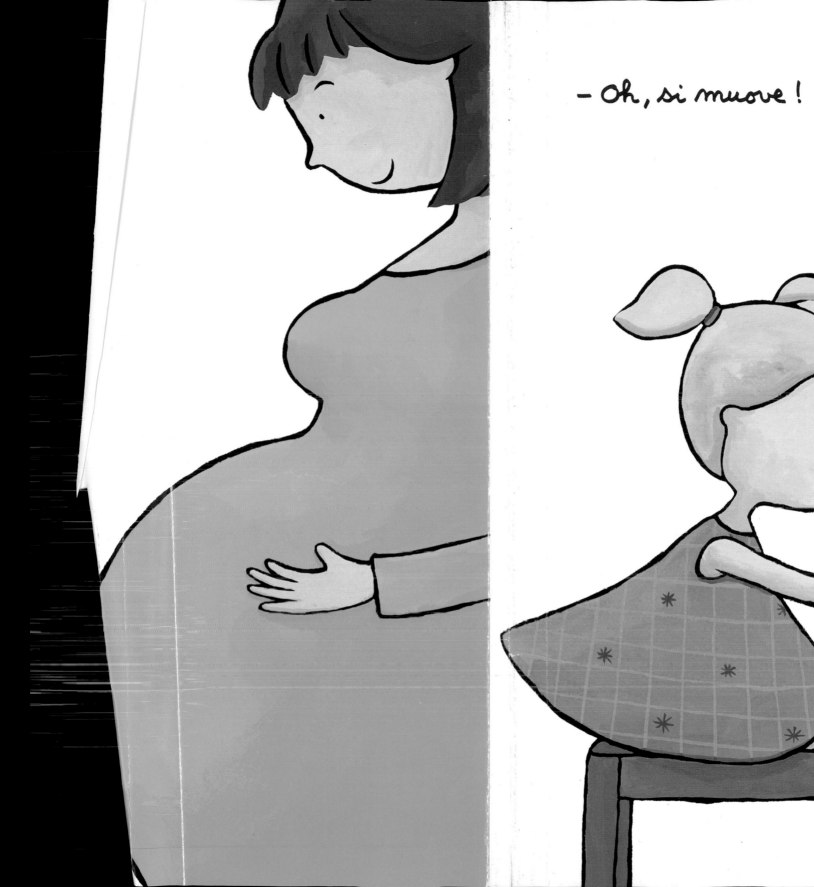

— Oh, si muove!

- Ma cosa fa tutto
questo tempo?

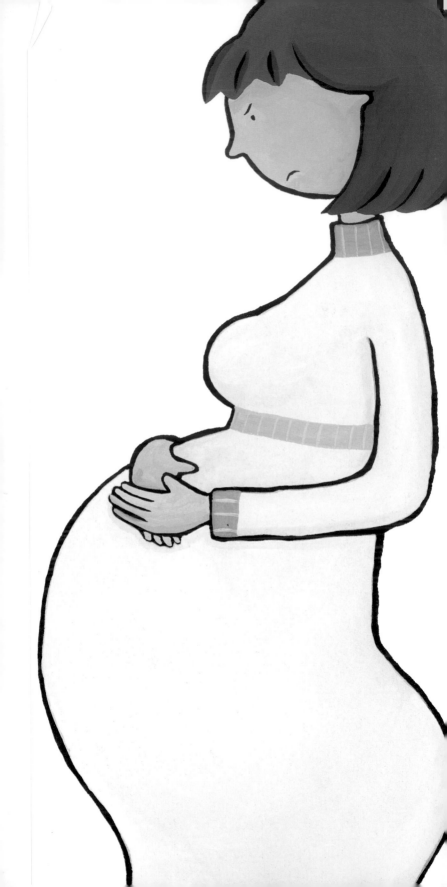

Camilla ci pensa:
– Anch'io sono
piccola!

– Non mangio,
non voglio avere
un pancione
come il tuo!

11

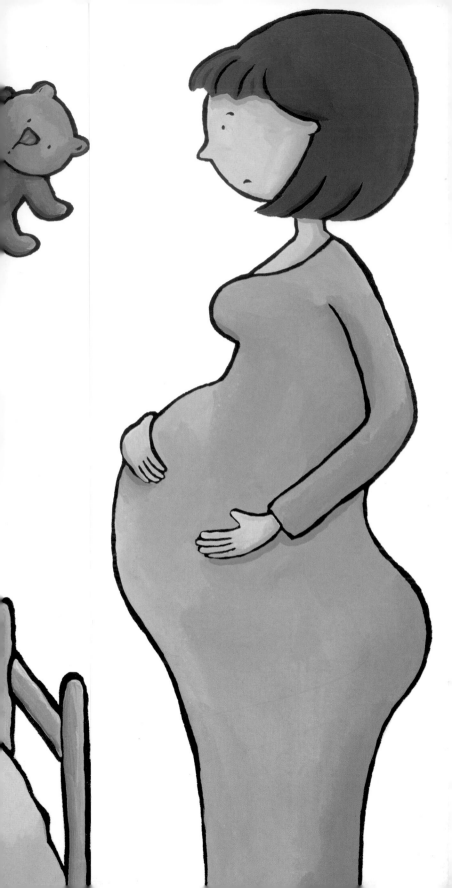

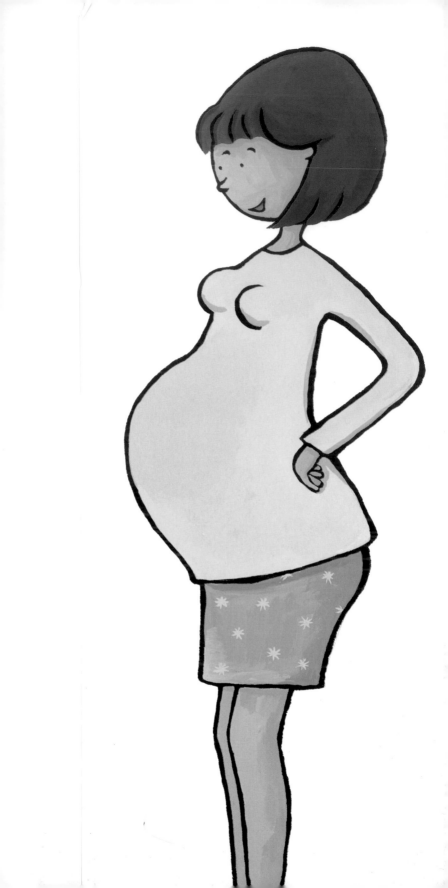

- Sei contenta?

La mamma dice:
– Camilla, avrai
un fratellino.

Marianne Vilcoq

Aspetto un fratellino

Babalibri

© 1999, l'école des loisirs, Paris
© 2004, Babalibri srl, Milano
Titolo originale *J'attends un petit frère*
Traduzione di Federica Rocca
Tutti i diritti riservati
Finito di stampare nel mese di aprile 2012
presso Zanardi Group, Maniago, Pordenone
ISBN 978-88-8362-089-8

Quinta ristampa aprile 2012